LES ENFANTS D'IRÈNE
est le trente troisième ouvrage
publié chez
Dramaturges Éditeurs

Dramaturges Éditeurs
4401, rue Parthenais
Montréal (Québec) H2H 2G6
Téléphones : (514) 527-7226 et (514) 849-9238
Télécopieur : (514) 527-0174
Courriel : info@dramaturges.qc.ca
Site internet : www.dramaturges.qc.ca
Yvan Bienvenue et Claude Champagne

Mise en pages : Claude Champagne
Correction des épreuves : Claude Champagne
Maquette de la couverture : Yvan Bienvenue
Illustration : Christian De Massy

Dramaturges Éditeurs bénéficie d'une subvention du Conseil des Arts du Canada.

Dépôt légal : deuxième trimestre 2000
Bibliothèque nationale du Québec
Bibliothèque nationale du Canada

ISBN 2-92218-232-0

Claude Poissant

LES ENFANTS D'IRÈNE

Dramaturges Éditeurs

AUSSI CHEZ DRAMATURGES ÉDITEURS

DU MÊME AUTEUR CHEZ D'AUTRES ÉDITEURS

Passer la nuit, Les Herbes Rouges, 1983
Sortie de secours, Collectif, VLB éditeur, 1984
Si tu meurs je te tue, Les Herbes Rouges, 1993

La première représentation publique de *Les enfants d'Irène* a eu lieu le 29 février 2000, à la salle 2 du Théâtre ESPACE GO, à Montréal.

Mise en scène : Claude Poissant
Assistance à la mise en scène : Jean Gaudreau

Distribution
Nadia : Mireille Brullemans
Angela : Caroline Dardenne
Victoire : Marie-France Lambert
Élizabeth : Julie McClemens
Matthias : Sébastien Ricard
Lucien : Reynald Robinson
Barber : Benoît Vermeulen

Scénographie : Olivier Landreville
Scénographie : Guillaume Lord
Costumes : Caroline Poirier
Éclairage : Martin Labrecque
Conception sonore : Larsen Lupin

Une production du Théâtre PàP

1

MATTHIAS, *seul*
Quand j'entends le monde dire qu'y pourraient pas vivre sans travail,
comme si le travail était la loi de l'équilibre,
comme si la paresse était la pire des maladies honteuses,
comme si de passer la nuit à rêver,
mais pas couché là,
debout là,
à faire plein de choses qui ont l'air de rien,
c'était un geste irresponsable,
comme si de se reposer de ses rêves le jour,
pis de sortir du lit juste à temps
pour pas écouter les nouvelles de six heures,
c'était une sorte de contrat avec le diable
qui vise à exterminer la planète,
quand j'entends le monde,
je deviens tellement furieux
que j'ai peur de ce que je pourrais finir par faire.

À l'école, j'étais pas tout à fait là mais j'y étais quand même.
À la maison, j'ai jamais fait grand chose,
et je fais toujours presque rien, mais c'est bien assez.
Même dans ma vie intime,
je fais tout ce que je peux, mais y'a rien à faire.
Pour tous ceux qui m'entourent,
j'ai jamais rien fait pis je ferai jamais rien.

Pis je fais rien pour les contredire.
Parasite fainéant légume lézard.

Mais ce qui m'écœure au fond, c'est leur indignation.
C'est une job à temps plein, rien faire.
Faut d'abord que les autres croient que c'est eux le problème.
Faut avoir l'air heureux.
Faut accepter son sort comme une délivrance.
Faut être égoïste pis fier de l'être.
Faut être prêt à tout perdre, même si on a rien.
Faut refaire le dictionnaire.
Faut partir du principe que tout est rien.
Faut comprendre qu'il va y avoir des séismes dans notre corps.

Ça demande du courage, rien faire.
De l'imagination, rien faire.
Un sens critique, rien faire.
Faut donner l'impression que ce qu'on fait, c'est pas rien.
Que c'est utile et nécessaire.

Avant je dormais douze heures,
je passais les autres demi-journées à me gaver de web:
ludique, éducatif, ou carrément inutile .
Je me foutais de savoir
que le principal indice de la bourse de New York
termine en hausse de 66,17 points,
et que l'indice composite de la Bourse Électronique Nasdaq,
au fort volet technologique,
gagne 62,92 points,
que le mystère de la foi est pas si grand qu'on le croit,
qu'il trouve son explication dans les civilisations futures,
pis qu'on peut trouver le futur en pitonnant foifuturpointcom.
Mais j'avais l'impression que toutes les pistes étaient bonnes
pour que je trouve un jour le moyen de réellement rien faire.

Ô bonheur!
J'ai trouvé un site qui vous paye à rien faire.
C'est vrai, je vous jure.
À condition que vous restiez connecté au site.
Y vous payent,
y vous envoient un chèque,
vous pouvez même quitter votre écran pour l'éternité,
vous êtes devenu salarié.

Je voyage presque pus,
je me connecte sur le site dix-huit heures par jour,
pis j'attends mon chèque.

2

ÉLIZABETH, *seule chez elle, chante*
ma belle langue est inquiète
ma salade est compliquée
mon nuage est gris souris
mon proverbe est en hébreu
mon amour est coincé là
c'est une comédie
it's a comedy

mon p'tit chat s'appelle King Kong
mon téléphone est arabe
mes voisins sont assortis
mon facteur s'appelle Judas
mon amour a pas de parking
c'est une comédie
it's a...

*Soudain, au beau milieu de la chanson, son
cellulaire sonne.*

ÉLIZABETH, *répondant*
Allô.
Ah non, pas toi.
Je pensais que je t'avais mis ça clair.

On résume :
t'es jamais là quand y faut.
T'arrives, je pensais que t'étais mort.
Je te demande où t'étais.
Tu dis que t'as rien fait.
Tu dis que tu m'aimes.
Tu dis que je t'aime pas autant,
pis que mes chansons sont insignifiantes,
pis que mes chansons passent avant toi.
Pis tu brailles ou tu fais semblant, je le sais pas,
mais je me sens la pire des écœurantes.
Pis je braille.
Pour vrai, moi.
Tu t'excuses, on baise, tu dors 24 heures.
Tu t'en vas quand je te passe de l'argent.
Tu disparais pis tu reviens quand tu décides.
Quand t'as besoin de moi, faut que je sois là,
quand j'ai besoin de toi, t'es tellement loin que je peux hurler,
pis mon propre écho multiplie ma douleur.
J'ai peur de toi.
Faut pus que je t'aime.
Je t'aime pus.
Adieu. C'est-tu clair?

Elle raccroche.

CHORUS
c'est une comédie
it is a comedy

3

Matthias ne fait rien.

NADIA

Où t'es?
Regarde-moi.
Montre-moi tes yeux. *(Matthias la regarde.)*
La balayeuse, elle. T'as pas passé la balayeuse.
T'avais dit : je vas la passer.

MATTHIAS

A marche pas.

NADIA

Comment ça a marche pas!
A marche quand on marche avec elle.
A marche pas tu-seule.

MATTHIAS

A marche pas. Est brisée.

NADIA

M'excuse, tu l'as réparée la semaine passée.

MATTHIAS

Oui mais a marche pas.

NADIA
Tu l'as pas réparée?

MATTHIAS.
Je vas la réparer là.

NADIA.
Tu l'as pas réparée?
On est juste rendu à semaine passée.
A va pas se passer cette semaine si est encore cassée,
pis que tu joues encore à rien
une semaine après qu'a soit pas réparée encore.

MATTHIAS
Je joue à même chose que la semaine passée pis c'est pas rien,
surtout cette semaine que je suis aussi cassé que la balayeuse.

NADIA
C'est pas en jouant à quelque chose pendant une semaine
que tu vas être moins cassé que la balayeuse,
qui elle pourrait marcher si tu trouvais le problème.

MATTHIAS
Y'en a pas de problème.

NADIA
Y'en a deux. La balayeuse pis toi.

MATTHIAS
C'est un morceau qui manque.

NADIA
C'est un morceau qui te manque, tu veux dire.

MATTHIAS
Faut j'aille chez Rona.

NADIA
T'attends-tu un diplôme pour y aller?
Attends donc que ça ferme.

MATTHIAS
Ça sera pas fermé.

NADIA
Y'est cinq heures.

MATTHIAS
Ça ferme à six.

NADIA
Je vas me fier sur toi, moi?

MATTHIAS
Je vas y aller après ça.

NADIA
Après quoi?

MATTHIAS
Après que j'aie pus rien à faire.

NADIA
Qu'est-ce que tu fais?

MATTHIAS
Je pense.

NADIA

Je pense pas, moi.

MATTHIAS

Je pense à des affaires importantes.

NADIA

T'es en retard d'une semaine dans tes promesses
pis je vas me mettre à croire qu'y a des choses plus importantes
que de pas mourir dans poussière.
La mousse se chicane dans les coins
pis je vas y dire de t'attendre avant de m'étouffer.

MATTHIAS

C'est à cause du chien ça.

NADIA

Mets pas ça sur le dos de Barber, y'a assez de poils de même.

MATTHIAS

C'est ça je te dis.

NADIA

Arrête de rien dire pis fais de quoi.

MATTHIAS

Tu devrais le faire tuer.

NADIA

C'est intelligent ça.
Barber!
Matthias veux que je te tue à cause que la balayeuse est cassée,
qu'est-ce t'en penses?

MATTHIAS

Si y'avait pas de chien, on la passerait pas.

NADIA

Si y'avait pas de balayeuse, on le tuerait pas : c'est ça ta logique?

MATTHIAS

Non mais oui.

NADIA

Avec quoi tu veux le tuer?

MATTHIAS

Je sais pas moi.

Le *gun* à clous s'a tempe bedon avec le char dans le garage.

NADIA

Quel char?

MATTHIAS

Je sais pas moi.

Un char... un char... un char à quelqu'un.

NADIA

Pis un garage à quelqu'un.

Passez-moi votre char, faut je trouve un garage, j'ai un chien à tuer.

Ça s'dit ben.

MATTHIAS

M'as le dire moi.

NADIA

À qui?

MATTHIAS

Aux Poupart.

NADIA

Aux Poupart? Leur char est pèté.

MATTHIAS

Oui, mais y'ont le garage.

NADIA

Barber! J'espère t'aimes ça les garages.
Parti comme c'est là, tu vas vivre longtemps,
mais dans un garage pas de char.

MATTHIAS

Ça se trouve un char.
Je peux trouver ça de même.

NADIA

Un char de police aussi, ça se trouve vite.

MATTHIAS

Le *gun* à clous d'abord.

NADIA

Pis tu vas mettre Barber d'un sac à vidanges.

MATTHIAS

Ouin.

NADIA

Ben justement y'en a pus.
T'en achèteras chez Rona avant six heures

en prenant le morceau de la balayeuse.
Pis dépêches-toi sinon...

MATTHIAS
Sinon!

NADIA
Sinon je vas t'éduquer, moi.

MATTHIAS
Y serait temps.

NADIA
Je suis pas ta mère.

MATTHIAS
Ben arrête de te prendre pour elle d'abord.

NADIA
Correct. Tu te feras à souper.

MATTHIAS
Ah *common fuck you*!

NADIA
Balayeuse, souper.

MATTHIAS
J'ai pas d'argent.

NADIA
C'est pas mon problème.

MATTHIAS
C'est ta balayeuse.

NADIA
C'est ton chien.

MATTHIAS
Ouais, ben je vas le tuer.

NADIA
C'est ça.
Pis tu le mangeras pour souper.
Où tu vas?

MATTHIAS
Pas de tes calices d'affaires.

NADIA
Rona c'est à gauche,
le guichet c'est à droite
pis les Poupart c'est en arrière.

.....

MATTHIAS, *seul*
Ma sœur me tient tête.
A gagne sa vie humblement,
– a remplit les comptoirs dans un magasin à rayons –
pis moi, je suis sensé être coupable de sa réalité.
Je lui dis oui de temps en temps, ça la valorise,
pis ça permet un changement de régime.

Communiste, démocratique, totalitaire, anarchiste.
Je crains les habitudes.
Nadia s'est saigné la tirelire pour que je suive une vraie thérapie.
Après un examen de mes neurones,
le CLSC m'a déclaré apte
– apte quel mot! On dirait qu'on crache : «apt».

4

LUCIEN, *à Matthias*
Faut je t'explique comment tout ça a débuté.

.....

MATTHIAS, *seul*
Quand y travaille pas à l'hôtel,
une chic chaîne *american tourist* en plein cœur de Montréal,
mon demi-frère passe des heures devant sa calculatrice.
Apt!

.....

LUCIEN, *à Matthias*
Un jour, j'ai été pris à parti dans un hold-up au dépanneur.
Deux gars, des jeunes,
des cagoules, des yeux, un pistolet.
Des fois tu penses que c'est une arnaque,
qu'y a pas de pistolet,
que c'est juste la main pis le doigt du gars en dessous du chandail,
mais tu prends pas de chance,

de toute façon tu décortiques pas,
ça va tellement vite,
pis en même temps,
toutes les cellules de ton cerveau sont prêtes pour le décollage.

Le caissier était livide,
le propriétaire répétait «*don't don't don't*»,
pis y ouvrait la caisse,
pendant que le petit caissier figé
me regardait fixer la bosse dans le chandail de la cagoule.
J'avais mon portefeuille pis du détergent dans les mains,
pis j'étais très calme,
comme si y'avait eu aucun danger,
ou que mon sang-froid allait faire en sorte
que tout allait se passer sans trop de bavures.

Pis je me suis mis à faire un exercice,
j'épelais le mot PISTOLET dans ma tête,
en donnant une valeur à chaque lettre,
A égal 1, B égal 2,
et ainsi de suite,
comme pour passer le temps,
sans savoir pourquoi je faisais ça.
J'ai eu le temps de compter PISTOLET :
P égal 16, I égal 9,
S égal 19, T égal 20,
O égal 15, L égal 12,
E égal 5, T égal 20,
total 116.

Là, le cagoulard qui avait pas le pistolet
a pris l'argent dans les mains du propriétaire,
«*Go you Go you Go*»,

pis moi j'étais rendu au mot VIE.
V I E total 35, 35+116 égal 151.
Les voleurs sont sortis,
y'avait personne de mort,
y'a juste le caissier qui est tombé dans les pommes,
j'ai payé mon détergent,
j'ai laissé l'argent sur le comptoir
pendant que le Viet appelait la police.
C'est fort.

....

MATTHIAS, *seul*
Lucien dit «c'est fort» parce qu'y est faible.
Lucien dit toujours qu'il aime les choses simples
parce qu'il sait qu'il est compliqué.
Lucien dit toujours qu'Angela l'aime.

.....

MATTHIAS, *à Angela et Lucien*
Qu'est-ce qui s'est passé?

ANGELA
Ca vient juste d'arriver.
On venait de s'asseoir chez le Viet...

LUCIEN
C'est un Thaï...

ANGELA
C'est un Thaï?

LUCIEN
Oui, depuis au moins deux ans.

ANGELA, *à Matthias*
C'est le petit resto tout jaune
à côté du dépanneur qui parle juste anglais.

LUCIEN, *à Matthias*
Lui, c'est un Viet.

ANGELA
T'es sûr?

LUCIEN
C'est un Viet qui parle juste anglais.

ANGELA
On avait eu une table à côté de la fenêtre.
Chanceux là...

LUCIEN
Y'avait pas grand monde.

ANGELA
Y'avait quand même pas mal de monde.

LUCIEN
Voyons, on était cinq tables.

ANGELA
On était ben plus que ça.

LUCIEN
Un groupuscule.

ANGELA
Un gros groupuscule.

LUCIEN
Même pas cinq tables.

ANGELA
Astine donc.

LUCIEN
Je corrige.

ANGELA
On avait la table près de la fenêtre,
on avait juste eu nos verres d'eau pis le pain.

LUCIEN
«Ton» verre d'eau.

ANGELA
T'en avais pas?

LUCIEN
Tu t'es commandé un verre d'eau.
Y'avait juste du pain sur la table.
Y'avait pas d'eau.

ANGELA
J'ai commandé un verre d'eau?

LUCIEN

T'avais soif, on avait marché pendant une heure et vingt.

ANGELA

Pis pas toi?

LUCIEN

Oui j'avais marché avec toi.

ANGELA

Je le sais ça, je m'en souviens quand même :
t'as pas dit trois mots.

LUCIEN

J'en ai dit vingt-deux.

ANGELA

C'est pas vrai! Tu les as pas comptés?

LUCIEN

Vingt-deux... vingt-deux mots, bon, pas trois.
J'en ai dit vingt-deux, c'est tout.
Pis j'avais soif.

ANGELA

Pourquoi t'as pas commandé de l'eau d'abord?

LUCIEN

J'ai pas eu l'temps de commander le verre d'eau,
le garçon est parti trop vite.

ANGELA

T'aurais pu le demander quand y'est revenu avec le mien.

LUCIEN
Je regardais par la fenêtre.

MATTHIAS_
Le garçon?

ANGELA
Tu l'as vu avant moi?
(À Matthias.) Le garçon : le serveur.
Y dit garçon, mais c'est pas rien qu'un garçon,
c'est aussi un serveur.

LUCIEN
C'est pas le serveur que j'ai vu par la fenêtre.

ANGELA
Ç'aurait pu, avec le reflet.

LUCIEN
Je l'ai vu avant toi, je l'ai vu avant tout le monde.

ANGELA
Pis tu disais rien !

LUCIEN
Tu parlais avec le garçon.

ANGELA, *rectifiant*
Le serveur.
(À Matthias.) J'aime ça les asiatiques.

LUCIEN
Le serveur, bon, disons le serveur.

MATTHIAS
Ben quoi, ça se dit : le garçon.

ANGELA
Ça se dit, mais ça dit pas ce qu'y fait.
C'est peut être pas un garçon qui sert,
c'est peut être un garçon qui fait rien.
Comme toi.
(À Lucien.) T'aurais pu nous interrompre.

LUCIEN
J'étais ébaubi par ce que je voyais dehors.

ANGELA
Je le sais, je l'ai vu moi aussi.
C'est pas pour rien que je me sens de même.

LUCIEN
C'est là que j'ai tendu ma main vers toi,
pis comme je regardais dehors...

ANGELA
...T'as renversé mon verre d'eau.
Pis comme Éric quittait,
j'ai pas pu le rattrapper à temps.

LUCIEN
Le verre d'eau?

ANGELA
Éric.

LUCIEN
Éric?

ANGELA
Le serveur.

LUCIEN
C'est un Viet,
y peut pas s'appeler Éric.

ANGELA
Y s'appelle Éric, et c'est un Thaï.

LUCIEN
Le resto, pas nécessairement le serveur.

ANGELA
Y s'appelle Éric pis j'ai pas pu y dire que j'avais renversé...

LUCIEN
Je t'ai pogné par le bras,
pis je t'ai dit de laisser faire le verre d'eau pis de regarder.

ANGELA
Tu m'as rien dit.

LUCIEN
Mon bras te l'a dit.

MATTHIAS, *impatient*
C'est quoi qui se passait dehors?

LUCIEN, *à Matthias*
C'était ahurissant.

ANGELA
Pire que ça, c'était c'était c'était... ça s'dit pas.

LUCIEN
Ça se dit : ahurissant.

ANGELA
Ça se dit, mais ça dit pas ce que j'ai ressenti.

LUCIEN
Tu l'as pas vu.

ANGELA
Voyons, c'est toi qui me l'a montré.

LUCIEN
Tu l'as pas vu,
tu regardais ton Viet partir.

ANGELA
Éric est Thaï.

LUCIEN
T'as pas de preuves.

ANGELA
De toute façon je l'ai pas regardé partir,
je savais qu'y était parti parce qu'on avait eu nos verres d'eau.

LUCIEN
Je-n'ai-pas-commandé-de-ver-re-d'eau.

ANGELA
T'avais pas aussi soif que moi.

LUCIEN

Autant que toi.

On avait marché une heure et vingt quand même.

(À Matthias.) Je passe mes journées debout.

ANGELA, *à Matthias*

Mais j'ai pas bu parce que Lucien a renversé mon verre,

et c'est ce qui m'a empêché de voir le début de la patente,

parce que je réagissais à l'eau qui coulait sur ma jupe,

(à Lucien) alors que toi tu t'en foutais.

LUCIEN

Je m'en foutais pas

parce que j'étais aussi absorbé par la rue

que ta jupe par l'eau de ton verre.

ANGELA

C'est pas ma jupe qui était absorbée par l'eau,

c'est l'eau qui l'était par ma jupe.

LUCIEN

C'est pas ça je te dis.

ANGELA

T'as dit la jupe par l'eau, pas l'eau par la jupe.

LUCIEN

Ta jupe était trempe pareil.

Pis toi t'étais comme l'eau, absorbée par ta jupe .

Alors que moi j'ai tout vu.

ANGELA

Moi aussi j'ai tout vu.

LUCIEN
T'as manqué l'ouverture.

ANGELA
C'est pas intéressant l'ouverture.

LUCIEN
Si tu l'as manqué, tu peux pas dire : c'est pas intéressant.

ANGELA
Mais j'ai quand même vu le principal.

LUCIEN
À l'opéra, c'est souvent ce qu'y a de plus intéressant, l'ouverture.

ANGELA
Là, c'était une ouverture d'égout, pas d'opéra.

MATTHIAS
D'égout?

ANGELA et LUCIEN
C'est ça.

.....

MATTHIAS, *seul*
La première fois que j'ai vu Angela, j'ai baisé avec.
On avait fumé du hash dans un party après l'initiation au cégep.
Chez Patrick Longuépée,
un gars des Îles de la Madeleine,

qui apparemment embrassait avec l'accent.
J'avais r'marqué Angela quand a s'était étouffée
au bout de la file indienne qui se passait le joint.
Pliée en deux, rouge pis mûre,
je l'ai regardée agoniser pendant deux minutes sans bouger.
Les autres lui tapaient dans le dos,
lui écartaient les bras pour y ouvrir la cage,
moi je regardais sa cage
pis la petite poitrine juste au-dessus.

Deux heures plus tard,
Angela est partie vers la chambre du fond,
en arrière de la cuisine.
Je l'ai suivie comme un hypocrite.
Est-ce que tu vas mieux?
Y'avait plein de manteaux empilés sur le lit,
on trouvait pas l'interrupteur,
a voulait son anorak pis son sac.
Je l'ai aidée à chercher.

Mais on était tellement *stone*,
y faisait noir,
juste une petite lumière en nous.
Pis le cœur qui bat, la main qui cherche,
le rire comme une toux,
pis l'odeur trop forte des *coats* de ski
qui faisait tourner celle de sa peau.

Patrick nous a trouvés une heure plus tard
en-dessous d'une tuque,
à poil pis ben endormis.

Là, Angela s'est mise à vouloir devenir ma blonde,
a venait chez nous inlassablement,

mais comme je résistais
– moi c'était juste un *one night stand*,
pis je m'étais mis dans la tête de travailler l'accent de Patrick –
Angela, par dépit, je pense,
s'est tournée vers Lucien, mon demi.
J'ai pas eu le choix.

Angela est devenue comme une demi-amie.
Au début ça me fatiguait,
mais au bout du compte, c'est pratique pour la famille :
Angela est pharmacienne.

.....

MATTHIAS, *à Lucien et Angela*
Allez-vous finir par me le dire ce qu'y'avait dehors?

LUCIEN
Est-ce que ça te dirait d'aller prendre une bouchée chez le Thaï
à côté du dépanneur qui parle juste anglais?

ANGELA
Me niaises-tu?

LUCIEN
C'est ce que j'ai dit sur une heure et vingt :
Est-ce que ça te dirait d'aller prendre une bouchée chez le Thaï
à côté du dépanneur qui parle juste anglais?
Vingt-deux mots.

MATTHIAS
C'était quoi le problème d'égout, tabarnac?

ANGELA et LUCIEN, *à Matthias*
C'était pas un problème d'égout.

.....

MATTHIAS, *seul*
La terre est trop grande pour moi,
je me contenterais d'une roche.
Le vent, le ciel, le soleil, la nuit, la peur,
pis l'écho du vent, du ciel, du soleil, de la nuit, de la peur.

5

BARBER, *à Matthias*
Tu fais rien, t'attends.
Tu fais comme tu veux.
Tu veux rien : tu fais rien.
Tu penses.
Comme quelqu'un en train de chercher quelque chose qu'y trouvera
/ jamais.

T'aimerais penser à rien,
mais y'aura toujours quelque chose.
Par exemple, tu penses à ce que tu faisais avant,
quand tu faisais quelque chose,
pour pas penser à ce que tu feras pas.
Pis pour pus penser à ce que tu faisais,
tu penses à ce que tu feras
si jamais tu décides de vouloir faire quelque chose,
mais puisque tu veux rien faire,
t'as pas le choix de penser à ce que tu faisais,
même si ce que tu faisais te sert pas à grand chose
vu que tu fais rien avec.

Parce que y'a des choses dont tu peux pas t'échapper :
le passé – ce que tu faisais, c'est à dire quelque chose –
le présent – ce que tu fais, soit rien –
et le futur – ce que tu feras, ou ce que tu feras pas, si tu préfères,

mais qui sera pas nécessairement ce que tu pensais que tu allais pas
/ faire,
parce que ce que t'aurais pas fait est pas nécessairement ce qui
/ t'arrive
quand le futur est devenu présent.

C'est comme ça, t'es mortel,
c'est ben plate, mais c'est de même.
Alors, tu laisses aller,
t'essaies de sentir le présent,
mais comme le présent passe vite,
t'es jamais aussi vite que lui pour le vivre,
tu le vis plus souvent qu'autrement une fois qu'y est passé,
ce qui fait que tu sens rien.
Pourtant, tu voudrais sentir quelque chose mais y'a rien à faire,
tu sens juste que tu voudrais rien faire.

Et tu penses que tu fais rien
parce qu'avant de rien faire,
tu faisais quelque chose.
et que même si tu savais pas vraiment ce que tu faisais,
tu t'es dit «je ferai pus comme je fais»,
tu t'es dit qu'y valait mieux pas faire que faire.

Tu veux être libre de rien faire.
Rien faire, c'est faire rien.
Et rien c'est déjà quelque chose.
Donc t'es pas libre.

C'est pourquoi t'as un chien
– qui d'ailleurs est peut-être une chienne, qu'est-ce t'en sais? –
et qui est là à être le rien que tu fais.

....

NADIA

Non Matthias, pas d'sans-abri, pas d'pouilleux, pas d'colporteurs.
Rien à donner, rien à acheter.
Pas de chien dans cabane. Le ménage est fait.

MATTHIAS, *ferme la porte*

C'est ça qui est ça.

6

VICTOIRE, *à son clavier*
Bonjour... *enter*.

MATTHIAS, *aussi*
Salut... *enter*.

VICTOIRE
C'est quoi ton vrai nom?... *enter*.

MATTHIAS
Je suis beau, jeune et... *erase*.
Je suis nécessaire... *enter*.

VICTOIRE
Je parle espagnol.
En fait, j'ai un don pour les langues... *erase*.
Est-ce que t'as des passe-temps?... *erase*.
Aimes-tu lire?... *enter*.

MATTHIAS
Euh oui... non... ça dépend quoi... *enter*.

VICTOIRE
Quoi?... *enter*.

MATTHIAS

Je retiens pas les noms des auteurs.
Je retiens des phrases... *enter*.

VICTOIRE

Par exemple?... *erase*.
C'est ridicule... *enter*.

MATTHIAS

Non... *enter*.
Non mais oui... *enter*.

VICTOIRE

Je veux dire que c'est plate pour ceux qui les écrivent... *enter*.

MATTHIAS

Ils le savent pas... *enter*.

VICTOIRE

Je pourrais leur dire... *erase*.
Fuck you... *enter*.
Tu dis rien... *enter*.

MATTHIAS

Je dis rien, je fais rien... *enter*.

VICTOIRE

Décris-moi ton corps... *erase*.
De quoi t'as l'air?... *erase*.
Décris-moi ton corps dans les moindres détails... *enter*.

MATTHIAS

Grand mince, cheveux blonds bouclés,
j'ai un cul de joueur de soccer, je bouge comme un skieur,

j'ai les bras d'un tennisman, j'ai le cœur d'un terroriste,
je maîtrise pas encore toutes les langues mais ça viendra... *enter*.
J'ai des yeux rouges... *erase*.

VICTOIRE
Envoie-moi ta photo... *erase*.

MATTHIAS
J'ai une tache de naissance... *erase*.

VICTOIRE
Aimes-tu le cinéma?... *erase*.

MATTHIAS
Je suis une tache de naissance... *enter*.

VICTOIRE
Je le savais... *erase*.
Je m'en doutais... *enter*.

MATTHIAS
Je suis un gars... euh... *erase*.

VICTOIRE
Je suis un homme... non... *erase*.

MATTHIAS
As-tu des seins?... *enter*.

VICTOIRE
J'ai des seins absolument... *erase*.
Absolument, j'ai des seins... *enter*.

MATTHIAS

La dernière fois que je suis tombé en... *erase*.
Je suis anarchiste... *enter*.

VICTOIRE

Pauvre toi!... *enter*.

MATTHIAS

Mes pieds sont très étranges.
Quand tu les regardes de profil, ils ont l'air de souffrir... *enter*.
Mais d'en haut, ils ont l'air d'une montagne... *erase*.

VICTOIRE

Continue... Déshabille-toi... *enter*.

MATTHIAS

Je me déshabille... *enter*.

VICTOIRE

Vite... *erase*.
Un morceau à la fois... *enter*.

MATTHIAS

J'ai enlevé tout ce qu'y avait en haut...

VICTOIRE

...*Enter*.

MATTHIAS

Je me dirige vers le bas...

VICTOIRE

...*Erase*... non... *enter*.

MATTHIAS

Décris-toi à partir du commencement du monde.
Je veux te voir... *enter*.

VICTOIRE

Concentre-toi.
Combien ça fait de battements de cœur que je suis sur la planète?
Pense à moi quand j'étais à quatre pattes,
heureuse une seconde sur deux,
pis que je m'égratignais les genoux – pas de douleur –
sur la marquetterie immensément grande.
Ça marche-tu? Me vois-tu mieux?
J'étais persuadée que ça prenait une éternité
pour me rendre des pattes de la table chromée
jusqu'aux souliers noirs vernis lacés de popa.
Terriblement noirs.
Terriblement rassurants.
Pense à moi quand j'ai pas eu le choix de commencer à m'user.
Pense à tous les mots que j'ai mis ensemble pour faire une idée,
tous les pas que j'ai collés pour faire un voyage,
tous les voyages que j'ai faits pour changer d'idée,
et à toutes les choses que j'ai failli faire,
mais que j'ai pas faites,
parce que j'avais peur ou pas le droit ou pas la chance ou pas le
/ secret.
Me vois-tu?
Pense à toutes les cigarettes que j'ai fumées
Pense à tous les rêves que j'ai oubliés,
à tous les gens que j'ai croisés sans parler,
tous les hommes que j'aurais pu...
à toutes les choses que j'ai pensées,
que j'ai pas dites,
à toutes les feuilles qui sont tombées autour de moi,

à tous les ongles que j'ai pas laissé pousser,
à toutes les musiques que j'ai dansées,
celles dont je me rappelle, pis les autres.
Me vois-tu?... *enter*.

MATTHIAS
Je suis pas sûr que je vois ce que tu voudrais que je vois... *enter*.

VICTOIRE
Ça veut dire?... *enter*.

MATTHIAS
Y'a rien à faire : je bande... *enter*.

Devant leurs écrans respectifs, Matthias et Victoire font l'amour. Mélange de soupirs, de enter *et de* erase, *et d'une musique lyrique. Jusqu'à l'orgasme.*

7

ÉLIZABETH, *seule chez elle, répète une chanson*
Qu'est-ce que j'étais autrefois?
Une petite belle à croquer.
Qu'est-ce que je suis devenue?
Une grande qui croque et croque.
Qu'est-ce que je veux devenir?
Une grande belle à croquer.
Qu'est-ce je serai demain?
Le cœur d'une pomme.

Qu'est-ce que j'étais autrefois?
Un petit meuble de salon.
Qu'est-ce que je suis devenue?
Un salon de manucure.
Qu'est-ce que je veux devenir?
Le chapeau qui me protège.
Qu'est ce je serai demain?
Le cœur d'un garçon.

Qu'est-ce que j'étais autrefois?
Une couverture indienne.
Qu'est-ce que je suis devenue?
Une indienne récupérée.
Qu'est-ce que je veux devenir?
Une nouvelle vision.

Qu'est ce que je serai demain?
Le cœur?...
(Elle s'arrête.)

...Le cœur de quoi maudine?
Je le trouverai pas.
Quand la dernière ligne est pas bonne,
tout le reste se désarticule,
ça fond comme de la guimauve,
ça vient lette pis ça pue.
Sacramentoume.
Bon.

> *Barber frappe à la porte. Matthias est avec lui.*

ÉLIZABETH
J'ouvre? J'ouvre pas?

MATTHIAS, *chuchote à Barber*
Je t'avais dit de pas frapper.
Du chloroforme, c'est ça que ça te prendrait, du chloroforme.
Pis une guenille.

ÉLIZABETH
Si je suis pas capable de décider,
je serai pas capable de créér.
Comment y font ceux qui sont juste capables de créer dans le doute?
Moi, y'a rien qui sort quand j'hésite.
Le doute ça me fige,
pis je suis pas capable d'accoucher figée.
Après, je doute. Après.
Comme là là, je doute.
Je trouvais ça bon, mais là, je trouve ça mauvais.

Un peu mauvais. Pas toute.

Ah sacrament!

Sacre pas, ça sert pas.

C'est pas si mauvais que ça.

On reprend : c'est bon. C'est bon, c'est bon.

(Elle chante.)

Qu'est-ce que j'étais autrefois?

Une petite belle à croquer.

Qu'est-ce que je suis devenue?

Barber frappe à nouveau à la porte.

ÉLIZABETH

C'est qui?

MATTHIAS, *chuchotant à Barber*

Même pas de fleurs pour les funérailles à Barber.

Qu'est-ce t'avais d'affaire?

Je t'avais dit de pas me suivre.

Ça te tente pas des fois de pas venir avec moi.

De pas m'aimer.

ÉLIZABETH, *hurlant*

C'est quiiiiiii?

MATTHIAS, *à Barber*

Je t'aime-tu, moi?

T'es vieux. T'es pus drôle.

Tu pues.

Mais ça, c'est pas grave.

Ce qui est grave, c'est que t'es vieux pis pus drôle.

ÉLIZABETH, *ouvre la porte*
Qu'est-ce tu veux?

MATTHIAS, *à Barber*
Viens, on s'en va.

ÉLIZABETH
Qu'est-ce que tu veux?

MATTHIAS
Ton cœur, tes yeux, tes chansons.

ÉLIZABETH
T'es as déjà eus.

MATTHIAS, *impulsif*
Heille! La bourge!
Tu penses que je les ai eus,
mais tu me les as pas donnés.
Ton cœur, y'a toujours été scellé,
tes yeux sont toujours restés à toi,
tes chansons, c'est juste pour ta carrière.
T'as été avec moi pour une botte d'un soir,
pis pour te donner bonne conscience,
t'as étiré ça pendant deux ans,
d'un coup que tu sauverais quelqu'un.

ÉLIZABETH
C'est en plein ça.

MATTHIAS
Dis-moi au moins que t'aimais ça quand on faisait l'amour.

ÉLIZABETH

J'ai toujours trouvé que tu puais,
je viens d'un milieu bourgeois,
je suis très sensible aux odeurs,
pis à cause de la politesse, j'ai jamais osé te le dire.

MATTHIAS

Un jour, tu m'as dit que tu en aimerais jamais un autre que moi.
Pis c'est la première fois que je te croyais,
pis je te l'ai dit,
je t'ai dit «je te crois *Babe*, je te crois dur *Babe*»,
pis on s'est fait un serment avec du sang pis de la bave,
pis on s'est mis à brailler...

ÉLIZABETH

...Pis on a vomi tellement qu'on était saoûls.
Une flûte de pan avec ça?

MATTHIAS

T'es méprisante.

ÉLIZABETH

La vie peut être courte, fais pas exprès pour l'étirer.

MATTHIAS

Tu vois comment t'es?

ÉLIZABETH, *hurle*

Non.

MATTHIAS

Tu me détruis.
Tu sais que je suis déjà en morceaux

53

pis tu veux que je vire en poussière.
T'aimerais ça je me suicide.

ÉLIZABETH
Dis pas ça.

MATTHIAS
Tu vois que tu m'aimes, tu veux pas que je meure.

ÉLIZABETH
Je veux que tu restes vivant, ça nourrit mieux ma haine.

MATTHIAS
Si tu m'aimais pas, tu serais indifférente.

ÉLIZABETH
Dur d'être indifférente à quelqu'un qui te dérange sans arrêt.

MATTHIAS
Je te dérange?

ÉLIZABETH
Pas dans le bon sens.

MATTHIAS
Le bon sens? C'est quoi ça le bon sens?

ÉLIZABETH
Scramme.

Élizabeth ferme la porte.

MATTHIAS, *hurle*
T'es rien qu'une chienne finie.
(À Barber.) Je vas te tuer, maudit chien sale.

Je t'haïs.
Je t'haïs.
Je t'haïs.
Je t'haïs.

.....

MATTHIAS, *seul*
De toute façon, un jour, vous allez tous être réunis.
Comme dans un rêve.
Pas le grand repas gastronomique,
rien pour se rendre trop coupable,
mais juste un bon petit repas occidental,
avec une entrée italienne,
un plat chinois, un dessert grec,
de la bière ontarienne pis du café colombien.

À table, il y a beaucoup de monde qui mange et
qui chante. Matthias les regarde.

TOUS, *chantent*
Guantanamera ma ville Guantanamera
Guantanamera ma ville Guantanamera

ÉLIZABETH, *chante*
C'était un homme en déroute.
C'était un frère sans doute.
Il n'avait ni lien ni place.
Et sur les routes de l'exil,
Sur les sentiers sur les places,
Il me parlait de sa ville.

TOUS, *chantent*
Guantanamera ma ville Guantanamera.
Guantanamera ma ville Guantanamera.

MATTHIAS, *seul*
Mais moi, je serai pas là.
Moi, je suis pas comme les autres.
Moi, c'est en dedans. C'est autre chose.
C'est rien. Ça bouge.

VICTOIRE, *chante*
Yo soy un hombre sincero
De donde crece la palma
Y antes de morirme quiero
Echar mis versos del alma
Mi verso es de un verde claro
Y de un carmin encendido

TOUS, *chantent*
Guantanamera ma ville Guantanamera
Guantanamera ma ville Guantanamera

Dans un bruit d'explosion, la chanson s'arrête. Et tous disparaissent.

MATTHIAS, *à Barber*
Heille Barber!
Viens.
Approche.
Approche plus proche.
Viens, ça sent bon,
ça sent le steak pis le ketchup.
Bon chien sale.

Viens, chien.

Pis crève.

Il pointe son doigt vers Barber. Détonation.

8

Chez Nadia et Matthias.

NADIA
On est le 2 mars.

MATTHIAS
Han!

NADIA
Tu n'as l'air d'un han!
Je donne pas cher de ce han là.
Monsieur Poupart attend ta part du loyer.

MATTHIAS
Tu y as pas donnée?

NADIA
Me l'as-tu-donnée?

MATTHIAS
T'aurais pu me l'avancer.

NADIA
T'avancer quoi?
À chaque fois que je t'avance quelque chose, c'est moi qui recule.

J'ai pus un sou.
Ça fait qu'on va laisser ça de même,
on va attendre que le bonhomme Poupart se fâche.

MATTHIAS
Qu'est-ce qu'y pourrait faire?

NADIA
Juste assez de choses pour que tu l'accuses de voie de fait.
Une coupe de taloches que je vas regarder avec plaisir.
Mais si la police me demande de témoigner,
je vas dire que j'ai rien vu.

MATTHIAS
De toute façon, y sait pas que c'est ma part qu'y a pas eu.

NADIA
Y'est pas innocent.

MATTHIAS
Je vas te la donner demain. J'attends un chèque.

NADIA
Tu me ris dans face.
Tu me ris dans face depuis que t'as la couche aux fesses.
Maman aurait dû te laisser dans ta marde.

MATTHIAS
Combien je dois?

NADIA
Janvier au complet, février pis mars.

MATTHIAS

Maudit mars! Y'est même pas commencé,
pis faut le payer avant même de savoir ce qu'y nous promet.

NADIA

Y promet rien, y réserve rien, y veut juste passer.
Bon.
Tannée de m'entendre.

MATTHIAS

Ouin.

ANGELA, *surgissant*

Je viens de le voir derrière son comptoir.
J'avais besoin de rien pis j'ai quand même acheté ça.
(Elle montre ses nouvelles lunettes fumées.)
Un, y'a les yeux trop petits pour avoir une couleur,
deux, y'a une tétine sur la paupière,
trois, y'a la voix dans le nez,
quatre, y'a un petit nez avec une grosse boule sur le boutte,
pis cinq, y'a une face en forme de pinotte.
C'est pas vraiment une aubaine.

NADIA

Si tu regardes juste la surface.

ANGELA

Nadia, tu mérites plus que ça.
Y'a pas de lèvre en bas,
ça lui fait un vilain rictus.
On dirait du dédain.

NADIA

Pis pas de manières.
Faut dire que j'en ai pas beaucoup non plus.

ANGELA
T'en as, t'en as. T'en trouves.

NADIA
Pis y se mord la langue quand y m'embrasse.
Y baise juste le samedi soir,
y'éjacule précoce,
un petit Kleenex, vire sur le côté, laisse-moi ronfler,
pis fais la cuillère tu-seule.

ANGELA
Veux-tu ben me dire ce que tu y trouves?

NADIA
Y'a de l'argent collé quelque part, j'ai du flair pour ça.

NADIA, *prend une grande respiration pour ne pas pleurer*
Penses-tu vraiment que la vie peut être consacrée
en même temps à la satisfaction des besoins du corps
pis à la sanctification de l'âme?

ANGELA
J'ai des Ativans.

NADIA
Laisse faire tes *life savers*.

ANGELA, *après un grognement*
Je vas t'avancer cinq cents, mais c'est la dernière fois.
(Matthias voit que Nadia le regarde.)
Merci.

ANGELA, *remet le courrier à Nadia*
T'as de la malle.

MATTHIAS
Y'a-tu de quoi pour moi?

NADIA
Le facteur, c'es-tu mon genre?

ANGELA
Y'a l'air de quinze ans.

NADIA, *trie le courrier*
Des comptes, des publicités...
Je viens de voir filer le cinq cent piasses.

ANGELA
Si Lucien me cherche, personne m'a vue.

NADIA
C'est quoi cette lettre-là?

ANGELA
Ben oui, j'ai vu ça : un timbre espagnol.

NADIA
Espagne?

MATTHIAS
J'peux-tu avoir une avance sur le cinq cents?

> *Nadia le frappe puis lui remet la lettre. Nadia et*
> *Angela sortent. Matthias lit la lettre.*

.....

VICTOIRE
J'arrive bientôt.
Depuis que je suis devenue Catalane,
je suis prête à tout, même au Canada.

MATTHIAS, *seul*
Enter.

9

*Lucien prête à Matthias ses clés, sa carte de crédit
et sa carte Pétropoints.*

LUCIEN
Tiens, mes clés.
Mets de l'essence. La super.
Les Pétropoints.

MATTHIAS, *prend les clés*
Je vas la laisser à ton hôtel.

LUCIEN
La fille ou l'auto?

MATTHIAS
La fille.

LUCIEN
C'est qui c'fille-là? Est-tu pas pire ?

Un avion passe au-dessus de leurs têtes.

.....

VICTOIRE, *seule*

La fille s'est posée sans turbulences,
même pas eu mal au cœur.
Passée aux douanes en 6 secondes.
Comme une diplomate en visite de courtoisie.
Mais y'avait personne qui m'attendait.
Je me disais : «tu le connais pas.
Y'est peut-être barbu, obèse, c'est peut-être un... non.»
J'espérais qu'y apparaisse.
Y'a-tu quelqu'un, quelqu'un du nom de Matthias?
J'ai trouvé un banc avec un monsieur tranquille.
pis un journal plein d'angoisses qui étaient pas parties au vent.
J'ai regardé le télé-horaire.
Montréal-Québec-Canada.
Le monsieur à côté parlait de Montréal en chialant.
pas d'urbanisation, la voirie, le maire, les taxes,
les prostituées, le crack, le fleuve, les tam-tams.
Je me disais, c'est comme Barcelone.
Une vieille voiture freine sec devant moi.
Le monsieur arrête de chialer .
Quelqu'un descend de la voiture.
Je dis Matthias, y dit Victoire.
Y'est beau comme un péché,
du moins du dehors.
Les mots, ça ment pas toujours.
(À Matthias.) Matthias!
Fais-moi faire un tour de Montréal.

MATTHIAS

Faut que je ramène le char avant huit moins quart.
C'est le char à Lucien.

VICTOIRE

Je peux t'hypnotiser avec mon ventre,
tellement que tu vas faire tout ce que je te dis.

Matthias regarde le ventre rond de Victoire, et y
dépose doucement sa tête.

10

Chez Nadia et Matthias.

VICTOIRE
C'est les mots.

NADIA, *à Angela*
C'est vrai que c'est les mots.

ANGELA
C'est plate pour celles qui ont pas de vocabulaire.

NADIA, *sèche, à Angela*
Ou celles qui ont rien à dire.
(À Victoire.) Êtes-vous ici pour longtemps?

VICTOIRE
Ça va dépendre.

NADIA
Vous voulez accoucher ici?

VICTOIRE
Ça va dépendre.

ANGELA
Vous voyagez beaucoup?

VICTOIRE
Ça dépend.

ANGELA
Ah! Voyager, c'est ça la vie.

NADIA, *terre à terre*
Ça peut être ben des affaires la vie.

ANGELA, *à Victoire parlant de Nadia*
Son côté noir : toujours tout au plancher.
Au fond, c'est pas ça qu'a veut dire.
(À Nadia.) Dis-le donc que t'aimerais ça voyager.
T'en rêves, mais t'as juste peur, dis-le donc.

NADIA
Peur?

ANGELA
Peur, oui peur.

NADIA
Peur de quoi?

ANGELA
Peur du sphinx, de la place Rouge, de l'Acropole, de la maffia,
de tout ce qui est pas d'ici.

NADIA
Heille heille heille! Parle pour toi.
Le sphinx! Franchement!

70

ANGELA
Moi, voyez-vous Victoire, je suis née à Stockholm...
(le téléphone sonne, Matthias répond)
...mais mon père avait des racines siciliennes...

MATTHIAS
Angela, téléphone.
Une belle voix d'homme.

NADIA
Quand c'est pour moi, c'est toujours des petites voix de sinusite.

ANGELA
Ça peut changer.

NADIA
On change pas personne, on vieillit, c'est toute.

ANGELA, *au téléphone*
Allô! Ah, c'est rien que toi.

MATTHIAS, *à Victoire*
C'est Lucien.

VICTOIRE
Comme dans «char à Lucien».

MATTHIAS
Ouin.

ANGELA
Oui oui, je m'en viens. Bye.

Angela raccroche.

NADIA
Vous étiez où avant de revenir ici?

VICTOIRE
Barcelone.

NADIA
Des vacances.

VICTOIRE
Du travail.
Je travaille pour Irenes, *(prononcé à l'anglaise)*
En fait, je donne dans la mondialisation,
la globalisation,
l'immigration,
l'intégration.
Ça prend pas grand chose,
sinon avoir l'esprit curieux,
ouvert à toutes les cultures, les religions et les manières,
parler anglais, français,
anglais, espagnol,
anglais, allemand,
baragouiner quelques langues asiatiques.

ANGELA
Aimer naviguer.

NADIA
Mais vous revenez souvent à Montréal.

VICTOIRE
Ça fait six ans que je suis pas venue.

NADIA
C'est comment Barcelone?
Matthias en parle jamais.

MATTHIAS
Je suis jamais allé.

NADIA, *dans un cri*
Fiou! J'ai eu peur que tu sois le père.

VICTOIRE
Ah oui oui, c'est bien Matthias le père.

NADIA
C'est-tu moi qui est folle, là?

VICTOIRE
Y'a pas de doute là-dessus.

ANGELA, *froidement à Matthias*
Bravo.

MATTHIAS, *à Victoire*
On va t'installer à l'hôtel où travaille Lucien.

11

ANGELA
Tu veux pas le savoir?

MATTHIAS
Je veux le savoir.

ANGELA
T'en parles pas, là.

MATTHIAS
Fais-moi confiance.

ANGELA
Quand tu vas savoir c'est quoi,
tu vas comprendre pourquoi faut pas que t'en parles.

MATTHIAS
Je vas me taire.

ANGELA
Autant tu vas comprendre qu'y faut pas le dire,
autant tu vas avoir le goût de le dire tellement c'est pas disable.

MATTHIAS
Envoye, dis-le.

ANGELA
D'un coup tu comprends pas?

MATTHIAS
Comprends pas?

ANGELA
Comprends pas pourquoi.

MATTHIAS
Si je comprends pas, je suis peut être mieux de pas le savoir.

ANGELA
Tu vas finir par le savoir de toute façon.

MATTHIAS
Dis-le que tu veux pas me le dire.

ANGELA
Au fond, tu veux pas le savoir.
Si je te dis que ça te concerne.
Indirectement.

MATTHIAS
Garde-le donc ton secret, Gela.

ANGELA
Pas capable.

MATTHIAS
C'est si grave que ça?

ANGELA
Pis ça va frapper un grand coup.

MATTHIAS
C'est quoi?

ANGELA
C'est tellement dur à dire.
T'as pas juré?

MATTHIAS
Calice!

ANGELA
Tu pourrais essayer de le deviner.

MATTHIAS
Si c'est ce que je pense.

ANGELA
À quoi tu penses?

MATTHIAS
La pharmacie.

ANGELA
Quelle pharmacie?

MATTHIAS
Ta job, t'es pharmacienne?

ANGELA
Si c'était rien que ça.
Promets-moi que t'en parleras pas tout de suite.
Si fallait que ça s'ébruite avant lundi prochain.

MATTHIAS
Oui oui, motus.

ANGELA
Tout le monde dit ça motus pis la première chose...

MATTHIAS
Je dirai rien.

ANGELA
Je sens que tu vas y dire.

MATTHIAS
Tu me fais pas confiance, *fuck off*.

ANGELA
Jure-le.
Je sens que tu le sais, mais que tu le dis pas.
Tu me niaises.

MATTHIAS
Je sais pas de quoi tu parles.
J'ai assez de ma tête, je peux pas être dans la tienne.

ANGELA
J'aurais jamais dû te le dire.

MATTHIAS
Quoi?

ANGELA
Matthias, je m'en vais.
Je pars.
Je pars. Tu dis rien?

MATTHIAS

Ben quoi? Va-t'en.

ANGELA, *ça sort tout seul*

C'est tout l'effet que ça te fait.

Je quitte-je débarasse-je disparais,

j'envoie chier ma ville mon pays mon tchum ma job pis toi,

pis c'est tout ce que ça te fait.

Je fais ben de partir en citron, hostie d'hostie.

Faut le faire.

Rien. Rien.

Même pas l'ombre de rien.

Une réaction plate, clinique, technique, informatique.

Un clic.

Va-t'en, clic.

Tes cliques, tes claques, fais de l'air.

Pas rien. Pas d'émotion, rien.

Sans cœur.

Une petite voix rauque : ben quoi va-t'en.

Paresseux parasite fainéant légume lézard.

Pis fat. Pis fier. Pis fif.

MATTHIAS

OK, ça va faire.

ANGELA

Pis je vais te dire une affaire : t'es superficiel.

MATTHIAS

C'est ça tu voulais me dire.

ANGELA

Pis ton enfant va être pareil.

Avant de partir, je peux-tu te frencher?

MATTHIAS
Euh... oui mais non.

ANGELA
Quand on va être une grosse planète
toute régie par les mêmes codes,
les mêmes lois, les mêmes principes,
y'aura pus de fuite possible?

MATTHIAS
Y'est où le resto Viet?

ANGELA, *la voix dans l'eau*
C'est un Thaï. Thaï. Thaï.
Comme dans bye.

12

Chambre d'hôtel.

MATTHIAS
Thomas Dimitri Maurice.

VICTOIRE
Matthias, j'attends une femme.

MATTHIAS
Qu'est-ce que t'en sais?

VICTOIRE
Y'a des chances que là-dessus, j'en sache plus que toi.

MATTHIAS
Hélène!

VICTOIRE
Helen Keller lit sur ma peau le désir.

MATTHIAS
Georgette!

VICTOIRE
Georgia. Georgia O'keefe peint des fleurs sur mes seins.

MATTHIAS
Alice!

VICTOIRE
Alice Milliat attise mes muscles.

MATTHIAS
C'est qui elle?

VICTOIRE
Les femmes olympiques, c'est Alice.

MATTHIAS, *la tête sur le ventre de Victoire*
Les spasmes de Joséphine Baker montent en moi.
Yes Sir, that's my baby.

VICTOIRE
Y'a une fille qui caresse mes entrailles avec des doigts invisibles.

MATTHIAS
On va l'appeler Sarah!

VICTOIRE
Sarah Bernhardt joue sur ma scène pour la centième fois.

MATTHIAS
Virginie!

VICTOIRE
Virginia Woolf...

MATTHIAS
Greta! C'est facile.

VICTOIRE

Greta Garbo est un écran sur mon long front.

MATTHIAS

Louise!

VICTOIRE

Louise. Louise.
Louise Weiss est un orgasme qui crie : «Voilà».

MATTHIAS

Gloria!

VICTOIRE

Gloria Swanson descend l'escalier de ma respiration.

MATTHIAS

Éléonore.

VICTOIRE

Je suis la magicienne de Léonor Fini.
Nomme des prénoms d'ici.

MATTHIAS

Amélie. Mégane. Nadia.
Tu vois, ça gâche tout.
On continue : Anna.

VICTOIRE

Anna Pavlova est un oiseau en tutu
qui m'enveloppe de ses longs bras.

MATTHIAS, *devient de plus en plus pervers*
Mistinguett renverse une valse sur tes hanches,
Jean Harlow est une bombe entre tes cuisses.
Victoria!

VICTOIRE
J'ai enlevé ma culotte,
j'ai écarté les jambes et j'ai laissé le vent entrer en moi.

MATTHIAS
Moi je suis né sur un terrain de camping au Québec,
à côté d'un champ de pot que mon père fumait.
À trois ans j'ai déménagé en ville,
avec mon père Louis qui était pas le mien en fait,
du moins fallait pas le dire,
pis ma tante qui était la femme à mon père,
mais qui était pas ma mère,
parce que notre mère avait baisé avec son beau-frère,
Louis, mon père,
qui était le mari de sa sœur Rolande – notre tante, la sœur à ma mère
– pis qui s'adonnait à être le fils de la première femme,
de son nom Lison,
de son propre mari Jacques,
qu'a l'avait eu avec Paulo
avant d'être avec Jacques
pis avant que Jacques marie ma mère,
pis qu'y ayent Lucien,
mon demi.
Pis ça c'est avant qu'a trompe Jacques avec Louis, le mari de sa sœur,
qui avait donc déjà été par alliance le fils de Jacques,
et qui ont formé un couple clandestin,
maman et Louis,
ayant pondu deux enfants légèrement troublés,

Nadia et moi,
Matthias.

Louis s'est suicidé il y a plusieurs années,
pendant que maman, le yâble au corps, est partie vivre ailleurs,
on sait pas où,
avec on sait pas qui,
pis on s'en fout.
C'est pas qu'on y en veut,
mais mettons qu'a pas simplifié les affaires.

          VICTOIRE
Une femme ordinaire
éventre une femme enceinte sur la rue Saint-Hubert,
parce qu'a veut un enfant.
J'étais toute petite quand c'est arrivé.

                         .....

          MATTHIAS, *seul, chante et gueule à la fois*
Petit Papa Noël,
quand tu descendras du ciel,
fais attention,
je persécute les chiens.

13

Chez Nadia et Matthias.

NADIA, *à Lucien*
Maudit malade.
Même le thérapeute du C.L.S.C. veut rien savoir de lui.

MATTHIAS
Vas-y le voir toi si tu le trouves de ton goût,
moi j'aime pas ça les Français.

NADIA
Y'est pas français, y'est distingué.
(À Lucien.) Il l'a insulté pendant une heure,
il l'a traité d'charlatan, de... de... de...

MATTHIAS
Fouille-marde.

NADIA
Fouille-marde. Un thérapeute.
(À Lucien.) Parles-y.

LUCIEN, *à Matthias sous l'œil indiscret de Nadia*
Tu sais, on est juste des numéros,
quelle que soit notre action.

Les mots sont sensés donner une définition aux autres mots,
pis les chiffres et les nombres permettent d'interpréter ces
/ définitions-là,
quand on les applique directement aux situations qu'on est en train
/ de vivre.
Le travail de compréhension, on le fait nous-même,
pis les chiffres sont là pour nous aider.
Le reste, c'est de la frime.

MATTHIAS
C'est un peu primaire.

LUCIEN
M'as t'en faire : primaire, ça m'a sauvé la vie.
J'aurais pu tomber mort dans le comptoir de Coffee Crisp.
Nono.
Le sens de ton existence,
Matthias, c'est important.
Dis c'est important. Dis-le.

MATTHIAS
C'est important.

LUCIEN
Important. 126.
Y faut chercher à placer le calcul devant toute autre réalité,
pis la valeur des mots va déterminer le sens de tes gestes.
On va pouvoir à l'avenir,
prévoir un petit peu mieux notre participation à l'évolution de la
/ planète.
La moindre particule de la planète est mathématique.
Rien n'existe sans qu'au préalable des codes numériques aient été
/ déterminés.

MATTHIAS

Ça marche-tu dans toutes les langues?

LUCIEN

C'est mondial.

Ça fonctionne dans toutes les cultures.

Je connais pas le chinois mais je vas l'apprendre un jour.

Pour l'instant je m'attaque au français.

C'est mon éducation, je l'accepte.

Non seulement les mots

mais nos propres noms déterminent notre personnalité :

Matthias 91.

MATTHIAS

Ça paye-tu mon loyer, ça?

LUCIEN

Les chiffres sont pas des indices de quantité mais des messages décodables.

Des signes.

Signes, 73, bien que le mot fasse 54 au singulier

pis on peut dire symbole 91, au pluriel 110;

je t'étonne là.

(Matthias, semble sceptique.)

T'es négatif, 62.

Mais faut pas juste dire les nombres.

Faut savoir d'abord que le 1 est unité,

le 2 dualité,

le 3 intellect,

le 4 superlatif,

le 5 global,

le 6 génital,

le 7 celui de la pensée dirigée,

le 8 émotionnel,
le 9 celui de la pensée circulaire,
le 0 celui de la connaissance.
Le point d'union, c'est le nombre 151.
Ça le dit : le sens incante, incantation,
rassemblement du corps et de l'anima, l'âme.
Si le mot ou encore pire ton nom a cette valeur-là,
t'es donc quelqu'un autour de qui c'est bon de se regrouper.
Quintessence, 151,
cinquième essence : air terre eau feu et esprit la cinquième.
Consommation, 151, somme de.
Révolution, 151, l'évolution active, provoquée.
Individualisme, 151, tout part de soi.

MATTHIAS
Qui fait 151?

LUCIEN
Tu me croiras pas : Jésus-Christ.
Le Saint-Esprit fait 150, y manque 1, l'unité.

NADIA
C'est clair.

LUCIEN
Pis tu peux additionner : Vérité plus soleil, 151.
Amour plus lumière, 151.
Homme plus femme plus désir, 151.
Tu peux aller loin dans tes associations :
sécurité plus cheval, 151, métal plus stress, 151,
ce qui permet de diriger ton instinct vers un téléphone jaune, 151,
ou un champignon rond. Où tu vas?

MATTHIAS
Chercher une job, j'ai un rendez-vous.
Trois heures, Sainte-Catherine coin Saint-Timothée.

LUCIEN
Sainte-Catherine, 151.

MATTHIAS, *revient sur ses pas*
Tu peux-tu me passer 1000 piasses?

LUCIEN
Pourquoi faire?

MATTHIAS, *craque*
Toi t'as une job, c'est facile.
Mais moi, je fais rien, je suis dysfonctionnel,
je fais pas comme les autres.
Mais devant monsieur, faut je rende des comptes.
Tu travailles pour une gang de trous de cul
qui exploitent le pauvre monde,
pis tu te fais donner des pourboires par des gros riches incultes
qui savent pas que l'abolition de l'esclavage,
c'est y'a presque cent cinquante ans.
Y'ont pas de comptes à te rendre,
y payent,
y te payent ton petit pouvoir.

LUCIEN
Un instant!

MATTHIAS, *les nerfs à vif*
Tu te penses quelqu'un
parce que t'es capable d'ouvrir des portes de limousines,

pis tu te vantes parce que t'as croisé Bruce Willis pis Julia Roberts,
pis le cousin de Donald Trump,
pis la belle-sœur à Microsoft,
pis la chatte à l'ami d'un gars qui connaît quelqu'un
qui a sorti avec la demi-sœur d'une connaissance de Shania Twain.
Mais t'es pire qu'eux autres.
Tu t'inventes un *standing*,
pis t'as aucune compassion pour ceux qui pensent pas comme toi,
parce que toi tu penses que tu penses comme eux.
Mais eux y'ont rien à crisser de tes chiffres pour prédire leur avenir,
y savent que la cabane est au bout de la gloire,
pis qu'y'aura toujours des trous-de-cul comme toi
pour se pencher devant eux.
Fais-toi enculer par l'Amérique,
la planète Hollywood,
pis le caissier de l'hôtel si tu veux,
mais prends-moi par pour la valise
dans le fond du coffre de la Mercedes.

    Matthias sort.

    NADIA
Pis y va être le père d'un enfant que...

    LUCIEN, *l'interrompt*
Toute se peut.

    NADIA, *acquiesce*
Toute se peut.

14

BARBER, *à Matthias*

Tu prends un respir.

Tu frappes deux coups.

Pas trop fort.

T'essuies tes pieds.

Tu tournes la poignée. Ça fait comme un clic.

T'ouvres la porte. Pas en entier.

Tu souris. La bouche fermée.

T'ôtes ton chapeau. Tu te places la couette. Tu baisses les yeux.

Non.

Tu souris. T'ôtes ton chapeau, tu te places la couette, t'ouvres la
/ porte, tu baisses les yeux.

Tu dis bonjour.

Tu montres ce que tu as.

T'attends qu'on te fasse un signe.

Tu déposes ce que tu as. Sur la table.

Tu fermes la porte.

T'attends. Tu tends l'oreille, t'écoutes.

Tu réponds oui, non, bien ou rien selon la question.

Fait beau oui. As-tu soif non. Comment va Ninon bien. Quoi de
/ nouveau rien.

Tu prends l'argent.

Y'a quatre papiers, trois mauves, un bleu, un sou or et blanc,

deux sous or, deux sous blancs, une cenne noire.

Si y manque la cenne, t'en parles pas.

Si y manque autre chose, tu recommences :
trois papiers mauves, un bleu,
un sou or et blanc,
deux sous or, deux sous blancs, une cenne noire.
Tu comptes à voix basse.
Tu gardes le sourire.
Si y'en manque après deux comptages,
tu dis ça s'pourrait-tu qu'y manque ce qu'y manque.
Tu remplaces ce qu'y manque par ce que t'as vu qu'y manquait.
Si manquait un bleu, tu dis ça s'pourrait-tu qu'y manque un cinq.
Tu dis pas bleu. Tu dis cinq.
Tu dis pas mauve. Tu dis dix.
Si y'en manque deux, tu dis deux dix.
Des mauves là deux mauves.
Si y manque le sou or et blanc, tu dis un deux,
tu peux dire aussi deux une.
Si t'as quatre sous or, t'as tes deux une qui font le sou or et blanc
plus tes deux ors prévus qui sont tes unes,
t'as pas besoin de rien dire.
Mais si y manque un ou deux ors,
tu dis ça s'pourrait-tu qu'y manque un ou deux unes,
tu dis pas un ou deux, tu dis l'un des deux,
un ou deux selon ce que t'as pas compté au deuxième comptage,
si c'est le même que le premier.
Si y manque des blancs, tu fais pareil.
Mais tes blancs, si y'en a plus que deux, c'est peut-être correct.
Ça peut être des orignaux des bateaux des castors.
Deux orignaux ou cinq bateaux
ou un orignal deux bateaux un castor
ou un orignal un bateau trois castors
ou un orignal cinq castors
ou quatre bateaux deux castors
ou trois bateaux quatre castors

ou deux bateaux six castors
ou un bateau huit castors
ou dix castors.
C'est possible aussi qu'y remplace le or par des blancs.
Tu remplaces un or par le double des blancs que t'as besoin.
Par exemple quatre orignaux
ou dix bateaux
ou deux orignaux quatre bateaux deux castors
ou deux orignaux deux bateaux six castors
ou deux orignaux dix castors
ou huit bateaux quatre castors
ou six bateaux huit castors
ou quatre bateaux douze castors
ou deux bateaux seize castors
ou vingt castors.
Pareil pour le or et blanc,
mais celui-là tu multiplies tes blancs par quatre
pis le compte est pareil.
Si y manque des blancs, tu dis pas lesquels, tu dis y'en manque un
/ peu,
parce que ça dépend c'qu'y y reste comme blanc,
pis selon son rajout,
tu compteras en castor en bateau pis en orignal
pis tu vas voir c'est ben facile.
Si t'es mêlé tu restes poli, tu pleures pas, tu souris plus fort,
tu peux montrer tes dents,
tu prends le temps que ça prend.
Si y manque la cenne noire, tu dis rien, c'est de la chance.
Quand t'as fini tu dis merci,
tu mets l'argent dans ta poche, tu fais attention.
Si t'en échappes, tu dis pardon pis tu ramasses.
Quand t'as dit merci,
pas pardon là, merci,

tu vas vers la porte,
tu tournes la poignée, ça fait comme clic,
tu l'ouvres un peu, tu dis au revoir, tu mets ton chapeau,
tu sors, tu fermes la porte doucement, ça fait comme clic,
tu prends un grand respir,
pis là t'es en affaire.

MATTHIAS
Je t'avais pas tué, toi?

15

ÉLIZABETH, *avant d'ouvrir la porte*
C'est qui?
(Matthias est de l'autre côté de la porte.)
Qui est-ce?

MATTHIAS
Un présent madame.

ÉLIZABETH
Pourquoi un présent?

MATTHIAS
Ouvrez vous verrez.

ÉLIZABETH, *reconnaît Matthias*
Je n'ouvre qu'aux étrangers.

MATTHIAS
J'attendrai là jusqu'à ce que je le devienne.

ÉLIZABETH
Vous risquez de rendre l'âme bien avant.

MATTHIAS
Nous mourons tous les jours.

ÉLIZABETH
Décrivez-moi le présent.

MATTHIAS
Celui que j'ai sur moi ou celui que vous vivez?

ÉLIZABETH
Je sais ce que je vis et que j'y perds mon temps.

MATTHIAS
Ce présent-ci arrête le temps perdu.

ÉLIZABETH
Vous êtes un intrigant, c'est ce qui vous condamne.
J'aime les hommes qui ne font pas de détours
pour arriver au but qu'ils décident d'avance.

MATTHIAS
Qu'importe la manière de dire ce que l'on pense,
il faut tâter le pouls avant d'appeler la morgue.

ÉLIZABETH
Eh bien tâtez du vôtre jusqu'à ce qu'un cœur vous batte
pour quelque muse idiote qui aimerait votre âme.

MATTHIAS
Vous cherchez un prince, madame.
Vous cherchez à la fois amant et amoureux,
ami les soirs de fête et les matins pluvieux,
vous cherchez trois en un.
Mais même si je ne peux combler les manques et les rêves,
vous ne manquerez jamais de rêves avec moi,
j'aime vos obsessions,

préjugés et caprices.
J'aime vos envies de gloire parce qu'elles sont futiles,
J'aime que ce que vous faites, vous le ratiez un peu.

ÉLIZABETH
Qui veut noyer son chien l'accuse de la rage.

MATTHIAS
Mon chien est déjà mort.

ÉLIZABETH
Je me tue à le dire.

MATTHIAS
Ne vous faites aucun mal, je vous en fais assez.
Ratez votre carrière mais pas vos rendez-vous.
Ouvrez la porte.
J'ai mal. Vous seule pouvez m'aimer.

ÉLIZABETH
Vous admettez que je ne vous aime pas encore.

MATTHIAS
Ce encore madame, redites-le encore.

Vous ne dites plus rien.
Serait-ce que les mots prennent un peu de répit
pour que la vérité soit, et ressemble à mes songes?

ÉLIZABETH
Cette porte entre nous est notre seul espoir.

MATTHIAS
Et peut-elle espérer de s'entrouvrir un jour?

ÉLIZABETH

L'espoir doit espérer, c'est là sa raison d'être,
Si l'espoir abandonne c'est qu'il n'a pas d'odeur,
qu'il est indifférent à toute réussite,
qu'il ne travaille pas, qu'il ne croit plus en rien,
qu'il n'a même plus le vœu d'être un jour entendu,
même si par hasard la chance lui souriait,
qu'il s'est découragé puis immobilisé,
soudain désagrégé,
et la poussière qui reste aux pieds de feu l'espoir,
n'est ni chagrin ni honte
pas même l'ombre d'un rêve,
pas même un cauchemar.
Je préfère espérer que de feindre un amour.
Car on ne peut aimer celui qui nous échappe,
on veut bien le courir jusqu'à le rattraper,
mais quand le cœur ne bat que parce qu'il s'essouffle
de courir en tous sens comme un enfant perdu,
il vaut mieux laisser faire et rebrousser chemin.
En regardant ailleurs, je trouve le soleil,
et je sais qu'il m'éclaire quand je suis dans le noir,
et je sais qu'il me brûle quand je n'ai plus d'espoir.
C'est ainsi que je crains que votre chien soit mort.
Cette porte entre nous est notre seul espoir.
Voulez-vous que je l'ouvre?
Et qu'ainsi nous puissions nous quitter à jamais.

MATTHIAS, *d'une voix chevrotante*
Elle s'ouvrira donc.

ÉLIZABETH

Quel est ce tremblement?
La chair vous cuit si fort que vous pliez l'échine?
Est-ce un chat dans la gorge?

MATTHIAS
C'est un chien dans ma tête qui hurle à cœur fendre.

ÉLIZABETH
Vous le tenez en laisse, libérez-le enfin.
Attention j'ouvre.

MATTHIAS
Attendez, n'ouvrez pas.
Et si je vous disais que mon amour pour vous grandira tous les jours,
que je serai heureux si vous êtes heureuse,
que je suis égaré,
mais que je me retrouve quand on me laisse aimer,
que quand vous me verrez, si vous perdez conscience,
je vous rattraperai, vous prendrai dans mes bras,
que vous chantiez la pomme ou jouiez quelque époque,
j'infiltrerai vos rêves pour en inventer d'autres,
qui n'auront de réel que les caresses extrêmes.

ÉLIZABETH
Cessez ce baratin et dites-moi pourquoi
de vous voir à l'instant endormira mes sens?

MATTHIAS
Je marche sur des rasoirs,
je tombe sur des os,
je cherche mon village et n'y arrive jamais.

Vous ne me croyez pas.
Alors ouvrez la porte et constatez vous-même.
Si vous êtes certaine que ce prochain regard
sera l'utime adieu et l'ultime mensonge,
faites vite madame, car je veux en finir.

Si vous attendez trop, je reviendrai encore
hanter de votre cœur les corridors de marbre.

ÉLIZABETH
Si vous croyez que vos paroles
allument en moi la hâte de vous voir comme avant.
Car je sais bien qu'au fond vous n'aurez pas changé.
Vos mots ne font pas sens, votre voix est puérile,
vos mensonges s'accumulent avant même un baiser.
Que n'inventeriez-vous pour que je vous....

MATTHIAS
Madame, je serai père.

Je ne vous entends plus.
Pourquoi vous taisez-vous
et laissez le silence enfanter la terreur?

ÉLIZABETH
Cela est un mensonge qui fait froid dans le dos.

MATTHIAS
Croyez-moi.

ÉLIZABETH
Je ne vous crois pas plus que je ne vous ai cru.

MATTHIAS
Madame!

ÉLIZABETH
Il ne vous reste plus qu'à replier bagage.
Je ne veux plus de vous, je ne le dirai plus.

Si vous me poursuivez, dites-vous qu'avec vous
je suis le cœur d'une pomme qui pourrit dans un coin.
Laissez-moi pour de bon, vous ne m'inspirez pas.
Et à moins d'un miracle, et je n'ai pas la foi,
vous n'inspirerez ni tendresse ni pitié.
Flambez-vous la cervelle si cela vous le chante.
Vous ne valez pas plus qu'un trou dans le néant.

MATTHIAS
Retirez ces paroles, vous ne les pensez pas.

ÉLIZABETH
Retirez-les vous-même, je vous les ai données.

Matthias quitte à toute vitesse.

ÉLIZABETH
Matthias, êtes-vous là?
Matthias.
J'ouvre.
Matthias!
Es-tu là?

Élizabeth ouvre la porte. Il n'y a personne.

16

NADIA, *à Matthias*
J'ai eu ça une seule fois dans ma vie le coup de foudre.

Un espèce de Clint James Harisson Jeremy Johnny,
le lasso dans l'œil pis toutes les actrices blondes de cinéma dans moi,
J'ai fermé les yeux, y m'est rentré dedans comme un tank.
J'avais sa peur collée sur moi,
pis ses promesses étaient restées coincées sur une chique de Clorets.
Pis y'avait le cœur dessiné sur les clés de sa Jeep.
Mais y'avait un cul mondial.

Après, je me suis noyée dans déprime,
avec un cocktail scotch-Ativan.
Dans rue à peinturer mes cauchemars sur les murs d'Hochelaga.

Pis je me laissais juste toucher par des tapettes.

17

MATTHIAS, *cynique, divague*
La charpente est croche.
Avez-vous besoin d'un menuisier?
Les morceaux sont pus ensemble, avez-vous besoin d'un soudeur?
C'est important de les réunir.
Un ramoneur?
Le grand ménage avant Noël.
Ou ben un facteur?
Y'a des comptes mais y'a des escomptes aussi.
Pis peut-être une lettre de ton député.
Ou un orienteur?
C'est important de savoir qu'on va nulle part.
Professeur?
Je dis ce que je sais pis répète-le après moi :
l'éducation, au Québec, c'est de la...
Traducteur?
Je peux le dire autrement. *The system is all fucked up.*
Voleur?
C'est un système d'alarme, madame?
Fossoyeur?
Aimez-vous votre trou madame?
Prestidigitateur?
Voulez-vous qu'y disparaisse?
Navigateur?
Envoyez des *e-mails* à votre député.

Compositeur?

Un petit requiem avec ça.

Acteur? Elseneur? Führer?

L'ordinateur a décidé pour moi.

Déserteur?

Ça paye combien?

Moneymakeur.

Envoye Matthias, t'es capable.

L'amour est en lambeaux.

Avez-vous besoin d'un amant, madame, monsieur?

Y me reste une bite, c'est au moins ça.

«Travailler c'est trop dur et voler c'est pas beau,

D'mander la charité, c'est queq'chose je peux pas faire.» *(Air connu.)*

Barber le regarde, découragé.

18

Chez Nadia et Matthias.

NADIA
Barber a toute vomi son foie de porc sur la carpette de salle de bain.
Y'a délibéremment choisi la salle de bain.
Fallu que je nettoie encore.

MATTHIAS, *en uniforme lance une enveloppe à Nadia.*
Y'est mort Barber. Y'est mort.

NADIA
C'est quoi ça?

MATTHIAS
C'est ton Poupart, ta bouffe à chien, ton Electrolux,
ton *chatting*, tes *hackers*, tes *bouncers*, tes *pimps* pis ta banane.

NADIA, *pour elle-même*
Y'est fou. Y'est fou.

MATTHIAS
Je m'en vas rien faire. Cherche-moi pas.
Je suis pus là pour personne.
Je veux pas qu'on me dérange.

NADIA
Si y'a une urgence?

MATTHIAS
Mon téléavertisseur.
Mais tu t'en sers juste si t'es vraiment vraiment morte.

NADIA
Depuis quand t'as un téléavertisseur?

MATTHIAS
Je travaille moi.
Pis je lave pas des planchers.
Je travaille pour le Québec.
Workaholic, yeah!
Pour nous protéger de l'envahisseur.

> *Matthias s'en va. Elle ouvre une enveloppe et est estomaquée en voyant la liasse d'argent.*

LUCIEN, *surgit en uniforme de portier*
Angela! Angela!
Angela a disparu.

NADIA, *compte l'argent*
On descend une marche ou deux, là.
400. 450. 460.

LUCIEN
Ça fait 24 heures que je l'ai pas vu.
(Voyant l'argent.) C'est quoi ça?

NADIA
Je sais pas.

LUCIEN
Tu l'as vue han? Est venue ici, han? Ça sent Angela.

NADIA
Ça sent le Hertel.

LUCIEN
C'est quoi ça?

NADIA
C'est du papier avec des faces dessus pis des chiffres à côté, tu vois
/ ben.
Matthias m'a donné ça.

LUCIEN
Matthias!

NADIA
1 350

LUCIEN
Angela!

NADIA
Ses affaires sont dans maison?

LUCIEN
Non.

NADIA
Bon ben tu vois : c'est clair.

LUCIEN
Un suicide!

NADIA

Lucien, on se suicide pas avec ses effets personnels.

Pas de téléphone? Pas de petit mot, rien?

2000. N'a ben des bruns.

LUCIEN

A m'a écrit un mot mais...

NADIA

Passe-moi-le.

LUCIEN

Quoi?

NADIA

Le mot, passe-moi-le.

LUCIEN

Je l'ai pas.

Je l'ai déchiré.

NADIA

Comment ça?

LUCIEN

J'étais pas d'accord avec ce qu'a l'a écrit.

MATTHIAS, *revient, exalté*

Quand j'entends le monde dire qu'y pourraient vivre sans travail,

comme si rien faire était une forme de lucidité,

comme si le travail était la pire des trahisons,

comme si de se lever le matin,

mais sans cadran là,

à faire quelque chose d'essentiel pour aider son prochain,
c'était un geste irresponsable,
comme si de se coucher après les nouvelles de 10 heures,
pis de sortir du lit comme un *Jack in the box*,
pour écouter l'état des routes à la radio de Radio-Canada,
c'était une sorte de course inconsciente
qui vise à exterminer la planète.
(Lucien et Nadia le regardent, éberlués.)

Est-ce que je peux faire quelque chose pour vous?
Moi je suis libre.
C'est 120 piasses
plus T.P.S. pis T.V.Q.,
payé dans le char,
condom obligatoire.
Pas garanti que je bande.
40 minutes maximum,
sinon je deviens tellement furieux
que j'ai peur de ce que je pourrais finir par faire.
Je peux goudronner votre solage si vous préférez,
j'ai du poil s'es avant-bras,
pis quand y fait ben chaud,
des fois j'enlève ma camisole.
Ou encore je peux faire votre portrait avec de la gouache,
du fusain pis de l'acrylique,
dans le style fauviste tachiste expressionniste.
Voulez-vous que je vous nomme ministre?
Je peux vous laisser gérer le portefeuille.
De toute façon, je suis dans marde,
j'ai pus une cenne, je suis un alcoolique chronique,
mes deux filles sont en famille d'accueil,
pis...

Il éclate en sanglots, on ne sait pas s'il se moque ou s'il craque vraiment.

NADIA
J'en veux pas de cet argent-là.

LUCIEN
Faut j'aille travailler.

19

Lucien en uniforme, dans la chambre d'hôtel.

LUCIEN
Fallait je vous parle Victoire.
Me trouvez-vous beau bonhomme?
(Victoire sourit.)
J'ai pas le droit d'être ici.
Les portiers sont supposés rester dans le hall même à pause.
Moi, pendant les pauses, je compte mes pourboires.
Pis j'arrondis à 151, ou à un multiple.
Le reste, si c'est rien, je le donne,
si c'est trop, je le mets dans mon casier
pis je l'additionne au prochain pourboire.
Des fois je traduis le montant en mots.
Par exemple 119 peut me donner les lettres BCDEEEEMNRSZ,
pis là je me fais un quizz,
je les replace dans le désordre : MERCEDES BENZ.
Volkswagen fait 129,
mais même si le chiffre est plus gros que pour la Mercedes,
le pourboire est comme le char, plus petit.
Comprenez-vous?

VICTOIRE
Ça passe le temps

LUCIEN
Vous, vous comprenez.

Êtes-vous capable de retrouver Angela?

20

MATTHIAS, *est dans un téléphone public*
I don't give a fuck of what you're explaining,
the only thing is I want to know who you are,
and the other only thing is I want to speak to Élizabeth
because I am phoning at Élizabeth *apartment.*

Don't tell me you don't know who she is.

I am not angry, I am just in a very good mood to commit a murder.

Could you repeat please and speak clearly.

Common man, slowly, I cannot read on your lips.
Because you've got an accent.

You're telling me this is your business phone number,
I joined her on this phone number just a few weeks ago.
So how can you tell she is not living there.
Does she live in your office?

And I have to believe you?

I am born in Hochelaga, *what's your problem with that?*

You don't need to spit on every french people…

No monsieur, *I won't play this game.*
you can say frog, I won't say bloke,
you fuckin' square head.

You know what,
Élizabeth *speaks french.*
So don't fuck with her in english,
try in french,
she prefers in french.
Faire l'amour en français, maudit Feta.

Don't yell.
Je veux parler à Élizabeth.

Élizabeth.

21

NADIA, *à Lucien*

L'autre jour on aurait cru qu'y sortait des égouts.

Y prend sa douche pis y met le bouchon du bain,

la crasse est contredite là,

tu peux pas l'atomiser d'un bord

si t'a succionnes pas de l'autre bord,

mais essaye de faire comprendre ça à une tête d'eau.

Fait que y s'en va, y'enlève pas le bouchon,

y'est aussi sale qu'avant,

l'eau est écœurante,

pis moi je me lave pus avant qu'y aye lui-même enlevé le bouchon,

ça peut prendre deux jours.

Pis l'autre fois pour me faire choquer,

y'a mis Barber dans l'eau du bain sale pis froide.

Là je pompe, je le pousse,

y s'érafle l'épaule sur le cadre de porte.

Barber se noie

pendant que Matthias se plaint qu'y est éclopé,

pis moi j'y réponds :

du cerveau, t'es éclopé du cerveau,

le bon Dieu voyait pas clair quand y t'a fait,

y'avait un nuage dans l'œil,

pis y t'a mis un cerveau de poulet.

T'as pas pelleté les marches.

LUCIEN
Han!

NADIA
On est le 11 avril. C'est encore l'hiver.

LUCIEN
Y'a pas neigé?

NADIA
Si tu regardais dehors des fois.

LUCIEN
Je suis en congé de maladie.

NADIA
Le bon Dieu travaille, lui.

LUCIEN
Y travaille pas fort.

NADIA
Y fait d'la neige.

LUCIEN
Y fait chier.

NADIA
Toi aussi. Pis t'es pas le bon Dieu.
Ça fait que vas pelleter.
T'avais dit que t'allais pelleter les marches si y neigeait.

LUCIEN
Je suis occupé.

NADIA

Qu'est-ce tu fais?

LUCIEN

Je cherche Angela.

NADIA

Si a sort de l'écran, fais-toi-s'en pas, je vas te prévenir.
En attendant, va faire un chemin, d'un coup qu'a vient souper.
D'un coup qu'est déjà en bas pis qu'a veut monter.

LUCIEN

T'es méchante, je souffre.
Ça fait plus qu'un mois.

NADIA

Ben oui Lucien, mais faut que t'arrêtes d'y penser.

LUCIEN

'Était tellement belle.

NADIA

C'est certain.

LUCIEN

'Était parfaite pour moi.

NADIA

Ça, c'est moins certain.

LUCIEN

Quand je me lève le matin,
j'attends qu'a me pousse du lit pis qu'a prenne mon oreiller.

NADIA

C'est pour ça que tu te lèves pus.

LUCIEN

Tu sais Nadia, j'ai souvent le goût de mourir.

NADIA

Ben justement, je te donne la chance de faire un infarctus.

LUCIEN

Je pourrai pus pelleter avec deux trois pontages.

NADIA

Dans le temps comme dans le temps.

Je veux ben te garder ici un bout Lucien,
mais faut que tu participes.

LUCIEN

Tu feras pelleter Matthias quand y reviendra.

NADIA

Y sait pas c'est quoi une pelle.

LUCIEN

Est où la pelle?

NADIA

Va emprunter celle à Poupart.

LUCIEN

Je le connais pas.

NADIA
Dis-y que t'es le frère de l'autre.
Non, dis-y pas ça.

LUCIEN
Tu sais pas c'est quoi aimer.

Nadia le gifle. Il la gifle à son tour. Elle le gifle à nouveau.

.....

Lucien est seul, il lit une lettre déchirée puis recollée.

ANGELA
Ça fait des mois que j'y pense.
Ça fait un mois que je le sais.
Aujourd'hui je t'extermine.
Je pars avec mon vieil ami Patrick.
Et comme Pat est gai,
tu vois que je suis la seule responsable de ton extermination.
Je pars au Laos.
Mes racines siciliennes me dictent l'aventure.
On va faire de l'import-export.
Éric va venir nous rejoindre.
Tu sais Lucien, on cache quelque chose de superbe en nous.
Mais toi, tu le caches trop bien.
La dernière fois,
j'ai essayé de trouver une manière de t'exciter.
Tu m'as regardée dans le lit,

j'étais là, les jambes écartées,
j'avais laissé une chandelle allumée,
t'as fixé ma chatte, c'était épeurant.
J'ai même pensé que tu comptais mes poils.
Tu t'es couché à mes côtés avec tes bobettes grises
pis t'as attendu que je fasse l'ouvrage.
Ta queue propre goûtait mauvais.
J'étais définitivement incapable de te supporter.
Tu me faisais définitivement pitié.
Pitié 59.
Je m'en vais loin, je veux que le sentiment disparaisse.

LUCIEN
Est folle.

ANGELA
Il faut bien comprendre qu'en t'exterminant,
je me débarasse de toute ta famille.
C'est pas que Nadia soit une mauvaise personne,
mais j'en suis venue à la trouver débrouillarde.
Juste débrouillarde.

Pis Matthias?
Je suis maintenant certaine qu'y se fout de moi.
C'est un faux.
C'est juste une impression.

22

VICTOIRE

Dis-moi ce que tu veux.

De l'amour?

Accroche-toi..

Attends encore un peu.

Es-tu prête pour la lumière?

Attention c'est étroit.

Qu'est-ce tu vois?

Respire.

Ici, le monde a pas besoin de toi.

Pas encore.

Ici y'a ceux qui tous les soirs se racontent des histoires.

Y'a ceux qui font bouger les choses.

Y'a ceux qui prennent le temps.

Y'a ceux qui courent pour le prendre.

Aie pas peur, y'a pas de danger.

Y'a aucun danger.

Juste une extase.

Ici, y'a ceux qui veulent agir le lundi.

Déménager le mardi.

Oublier le mercredi.

Disparaître le jeudi.

Maigrir le vendredi.

Dormir le samedi.

Pis mourir le dimanche.

Y'a ceux qui nous échappent.
Encore un effort et je t'échappe.
Respire mi amor mon amour.
Je te vois.
Accroche-toi.
Pense à moi quand j'étais grande fille pour la première fois.
Pendant au moins 30 secondes.
Inspire.
Je réclame le bonheur.

(Des cœurs battent.)

Enter. Enter. Enter. Enter. Enter.

.....

Matthias regarde son téléavertisseur qui sonne. Matthias lance son téléavertisseur au bout du monde. Matthias se bouche, les oreilles, le nez, les yeux. Il se couche dans la niche de Barber.

MATTHIAS, *seul*
Pus jamais rien sentir.
Pus jamais avoir besoin de sentir.
Pas utile, pas inutile.
Juste être immobile.
Comme un chien mort.

Pus de mémoire.
À chaque instant oublier le précédent.
Pus rien savoir de ce que je savais hier soir.

Pus de désir.
Pus jamais avoir envie de ta joue sur mon nombril.
Pus jamais de nombril.

Il ne fait plus rien, il ne sent plus rien.

.....

Cent cinquante et un jours passent. Une chanson parle d'amour. Victoire berce un enfant. Angela, à l'autre bout de la planète, fait du Taï Chi. Élizabeth se cherche. Matthias ne bouge pas. Il vieillit et s'use. Barber s'use à ses côtés.

23

Cinq mois plus tard. Chez Nadia et Lucien.

NADIA
Je comprends pas là.
T'es chanteuse, t'es actrice,
tu rencontres un Grec, tu lâches tout,
tu déménages en Europe,
tu te fais chier, tu reviens, tu parles anglais,
tu cherches Matthias?

ÉLIZABETH
Ben oui.
Je me suis dit :
stop being everywhere that keeps you far from love.

NADIA
Matthias!
Matthias!
Tu vois ben qu'y est pas là.
Ça fait des mois que je l'appelle,
mais y'est pus là.

LUCIEN, *se traînant*
C'est qui?

NADIA

Bon, *he's woke up*.

J'ai crié pendant une heure.

Envoye la cloche,

t'as oublié tes clés,

reste sur le trottoir comme une vente de garage.

LUCIEN

C'est qui?

NADIA

Une femme qui cherche Matthias.

Pis toi, t'es en retard à l'hôtel.

LUCIEN

Oui oui.

NADIA

Regarde-toi l'air.

As-tu bu la bouteille de Valium?

LUCIEN

Comment t'es rentré?

NADIA

Je sais ben pas.

Je pense que je me suis téléportée.

LUCIEN

Du courrier?

NADIA

Y'a un message de Virtuella dans l'écran.

Juste une liste de courses à faire.

Pour le bébé.

ÉLIZABETH

Le bébé?

LUCIEN

Une amie.

NADIA

Pas vraiment une amie.

LUCIEN

Une belle-sœur.

NADIA

Une puissance quelconque qui a un bébé de cinq mois.
C'est ben compliqué.
C'est l'histoire d'un gars
qui passe sa vie à vouloir être quelqu'un,
qui comprend pas qu'y est déjà quelqu'un,
pis qui a pas besoin de passer sa vie là-dessus.

LUCIEN

Parles-tu de moi là?

NADIA

Restez-vous à dîner?

ÉLIZABETH

Fait froid.

NADIA

Lucien, va réparer la fenêtre avant de partir.
Han Lucien!
Pis tu feras un chèque à Poupart.

LUCIEN
Je suis pas sûr que y'en a assez dans mon compte.

NADIA
J'ai eu 2000 piasses pour ta Volks.

LUCIEN, *après réflexion*
C'est bien.

NADIA
C'est bien, mais t'as pus de char.

ÉLIZABETH
Je peux vous laisser à votre hôtel,
j'ai ma voiture.

LUCIEN
Quelle marque?

NADIA
Pas de problème,
je vas dîner avec le chien.

.....

À l'hôtel, dans la petite salle des employés.

LUCIEN
J'ai pas réussi à piquer du champagne,
mais j'ai trouvé deux petites bouteilles de Brandy.

ÉLIZABETH
Pourquoi?

LUCIEN
C'est pas facile à piquer du champagne.

ÉLIZABETH
Je veux dire pourquoi de l'alcool.

LUCIEN
Juste de même, en attendant Paulette.

ÉLIZABETH
Paulette!

LUCIEN
La femme de chambre, elle va passer dans une heure.

ÉLIZABETH
Je comprends pas.
C'est Matthias que je veux voir, pas Paulette

LUCIEN
C'est mon petit local privé. Vous l'aimez pas?

ÉLIZABETH
Pas vraiment non.
J'aime pas la couleur, pis j'aime pas la machine à Pepsi.

LUCIEN
C'est pratique parzempe.

ÉLIZABETH
Vous travaillez pas?

LUCIEN

J'ai 88 minutes pour le souper.
Je passe mes journées debout.

ÉLIZABETH

Dans la voiture,
vous m'avez dit que vous me présenteriez à Victoire.

LUCIEN

Je pense pas que Victoire va pouvoir vous en dire plus sur Matthias.
Si moi pis Nadia on sait pas y'est où,
pourquoi qu'a le saurait.
A l'a jamais retrouvé mon Angela.

Chantez-moi une chanson.

ÉLIZABETH

Je veux sortir d'ici.

LUCIEN

Tu me trouves pas beau bonhomme?

ÉLIZABETH

Laisse-moi sortir.

LUCIEN

Heille wô wô! J'ai pas encore la clé.

ÉLIZABETH

Quelle clé?

LUCIEN

La clé d'la chambre à Victoire.
Paulette va venir la porter.

ÉLIZABETH
Paulette?

LUCIEN
La femme de chambre.

ÉLIZABETH
Je peux frapper à la porte de Victoire, j'ai pas besoin d'la clé.

LUCIEN
A l'ouvre à personne, a parle à personne.
C'est Paulette qui a la clé,
a fait le ménage pis moi ses commissions.

ÉLIZABETH
On va aller y porter ses courses ensemble.

LUCIEN
Les commissions, je les donne à Paulette.
Moi, je la dérange trop, je parle trop.

> *Lucien tente de la prendre dans ses bras, Élizabeth*
> *le repousse.*

ÉLIZABETH
Va chercher Paulette tout de suite.
Je suis pressée.

LUCIEN
Pèse le bouton B d'l'ascenceur,
rendue en bas, va à gauche,
dépasse le sauna, dépasse la machine à café,
va jusqu'au conteneur de vidanges,

à côté y'a un débarras,
traverse le débarras,
tu vas voir un couloir avec une ampoule verte,
prends le couloir,
y'a un p'tit bureau au fond.
Tu frappes deux coups, pas trop forts.
Paulette est tout l'temps là.
Demandes-y la clé.
Pis remonte au quinzième.
Chambre 1515
mais le dernier 5 est arraché.
Veux-tu un verre de Brandy?

Un orage commence.

.....

ÉLIZABETH, *frappe deux coups à une porte*
Paulette?

.....

Chambre d'hôtel. L'orage au loin. Victoire,
enceinte une nouvelle fois, fait sa valise. Soudain
Élizabeth, déguisée en femme de chambre, entre
dans la chambre.

VICTOIRE
Paulette est malade?

ÉLIZABETH, *déguisée en femme de chambre*
Elle a été congédiée.

VICTOIRE
Qui vous a dit ça?

ÉLIZABETH
Le portier, je sais pas son nom, celui qui est à la porte.

VICTOIRE
Lucien vous a rien dit d'autre.

ÉLIZABETH
Non y'avait un rendez-vous,
y'était comme une fusée,
y'allait voir son frère, je pense.

VICTOIRE
Son frère!

ÉLIZABETH
Matthieu.

VICTOIRE
Matthias.

ÉLIZABETH
Vous avez l'air de connaître la famille.

VICTOIRE
Le rendez-vous c'est où?

ÉLIZABETH
Une fusée, ça dit pas tout.

VICTOIRE
Le Stade? Le Plateau? La *Main*?
L'hôtel de ville? La rue Ontario? Un bar?
N.D.G.?
Chez lui?
C'est une question importante que je te pose là.

ÉLIZABETH
Un bar... euh...

VICTOIRE
Pense un peu.

ÉLIZABETH
Moi la mémoire.
(Éclair.)
Vous alliez partir?
(Tonnerre.)

VICTOIRE
Oui, je t'attendais.

ÉLIZABETH
Moi?

VICTOIRE
Oui toi.

ÉLIZABETH
Vous allez où?

VICTOIRE, *prend sa valise*
À l'aéroport.

ÉLIZABETH

Sorry.

VICTOIRE

Toi, va rejoindre Matthias.

ÉLIZABETH

Han!
Matthias! Pourquoi?
Mais je suis supposée faire la chambre.

VICTOIRE

Laisse faire la chambre, va rejoindre Matthias.

ÉLIZABETH

Où?

VICTOIRE

Où tu voudras.

ÉLIZABETH

Mais...

VICTOIRE

Je m'excuse, j'ai un avion à prendre.
Je te laisse Irène.

ÉLIZABETH

Qui?

VICTOIRE, *en sortant*

Irène.
Emmène-la

ÉLIZABETH

Où?

VICTOIRE

Avec toi.

Élizabeth reste seule quelques instants, inter-loquée. Soudain, elle entend des pleurs d'enfant.

24

BARBER

T'es sur la rive.
T'embarques au hasard sur un navire,
tu prends le gouvernail.
Des humains par centaines à tes côtés,
pas un pareil, mais tous semblables,
cordés comme des sardines.
Des corps de suie, des hommes sans langue, du monde qui pue.
Du monde comme toi, fait de sang pis de crachats.
Tu veux les emmener sur l'autre rive.
Le vent est trop fort.
Qu'est-ce que tu fais?
Rien?

MATTHIAS

Qu'est-ce qu'y a sur l'autre rive?

BARBER

Je sais pas.

MATTHIAS

Y'as-tu juste deux rives?

BARBER

Je sais pas.

MATTHIAS

Est-ce qu'y a vraiment pus rien à faire?

BARBER

Je sais pas.

25

Chez Nadia. L'orage se poursuit. Nadia passe la balayeuse. Elle est interrompue par un coup de tonnerre. Elle fige un instant. La porte s'ouvre : Lucien, un peu soûl, entre. Elle arrête la balayeuse, le regarde, puis remet la balayeuse en marche. Lucien la regarde. Elle continue son ménage. Mais la balayeuse a des absences, ce qui fout Nadia en rogne. Soudain, Nadia et Lucien entendent un autre coup de tonnerre. Ils trouvent Élizabeth et Irène trempées à la porte. Élizabeth entre et s'assoit, le bébé dans les bras. Lucien et Nadia la regardent comme une voleuse d'enfant. Puis Nadia les enrobe avec une couverture. Un bruit de tonnerre les surprend à nouveau. Stupeur. Matthias entre. Il est complètement usé, fatigué, mais il sourit. Tous le regardent. Il entre, les regarde, puis s'approche d'Élizabeth et l'embrasse. La balayeuse, comme par magie, se remet en marche. Nadia sursaute. Irène pleure.

26

Ailleurs et six ans plus tard. Irène est avec Barber.

IRÈNE, *jouée par Victoire*
Écoute.
L'écho du vent, du ciel, du soleil, de la nuit, de la peur.

Heille Barber! Penses-tu que je vais avoir des enfants?

BARBER
Des jumeaux, des triplets, des quadruplets.

VICTOIRE
Non, je veux pas d'enfant.

BARBER
Si t'as des quadruplets, ça peut être quatre filles ou trois filles un gars ou...

VICTOIRE
Non, je te le dis, j'aurai pas d'enfant.

BARBER
Ou deux garçons une fille un castor.

VICTOIRE
Shut up, tu m'énerves.

T'es vieux, t'es pus drôle.

Chut. Écoute.

> MATTHIAS, *quelque part très loin chante Guantanamera.*
> *Il me reste toute la terre*
> *Je n'en demandais pas autant*
> *Quand j'ai passé la frontière*
> *Il n'y avait plus rien devant*
> *J'allais d'escale en escale*
> *Loin de ma terre natale.*

> IRÈNE

C'est papa.

> *Le ciel s'éclaire d'une immense publicité de Coca-Cola. Barber jappe.*

Achevé d'imprimer en août 2000
chez Ginette Nault et Daniel Beaucaire
Saint-Félix-de Valois (Québec)